Extraño y maravilloso

Las casas de los animales

Título original: *Where I Live*

Publicado originalmente por Weldon Owen
Publishing
Ground Floor 42-47 Victoria Street,
McMahons Point, Sydney NSW 2060, Australia

weldonowenpublishing.com

Copyright © 2012 Weldon Owen Pty Ltd

EDICIÓN ORIGINAL
Dirección editorial: Averil Moffat
Edición: Barbara McClenahan
Asesoría: Dr. George McKay
Diseño de concepto: Cooling Brown Ltd
Diseño: Gabrielle Green
Dirección de imágenes: Trucie Henderson

EDICIÓN EN ESPAÑOL
Dirección editorial: Tomás García Cerezo
Gerencia editorial: Jorge Ramírez Chávez
Traducción: Ediciones Larousse, S.A. de C.V.,
con la colaboración de María Angélica
Ramírez Gutiérrez
Formación: Ediciones Larousse, S.A. de C.V.,
con la colaboración de Genio y Figura
Corrección: Alma Martínez Ibáñez
Adaptación de portada: Pacto Publicidad, S.A.

D.R. © MMXI Ediciones Larousse, S.A. de C.V.
Renacimiento 180, México, 02400, D.F.

www.larousse.com.mx

*Esta obra no puede ser reproducida, total
o parcialmente, sin autorización escrita del editor.*

*Larousse y el logotipo Larousse son marcas registradas
de Larousse, S.A.*

Primera edición en español, septiembre de 2012.

ISBN: 978-1-74252-241-8 (Weldon Owen)
        978-607-21-0603-1 (Ediciones Larousse)

© 2012 Discovery Communications, LLC.
Animal Planet y el logo Animal Planet son
marcas registradas de Discovery Communications,
LLC, usadas bajo licencia. Todos los derechos reservados

animalplanet.com
animalplanetbooks.com

Impreso en China - *Printed in China*

Las casas de los animales

Karen McGhee

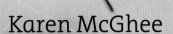

Animales sorprendentes

Comportamientos singulares

LAROUSSE

Índice

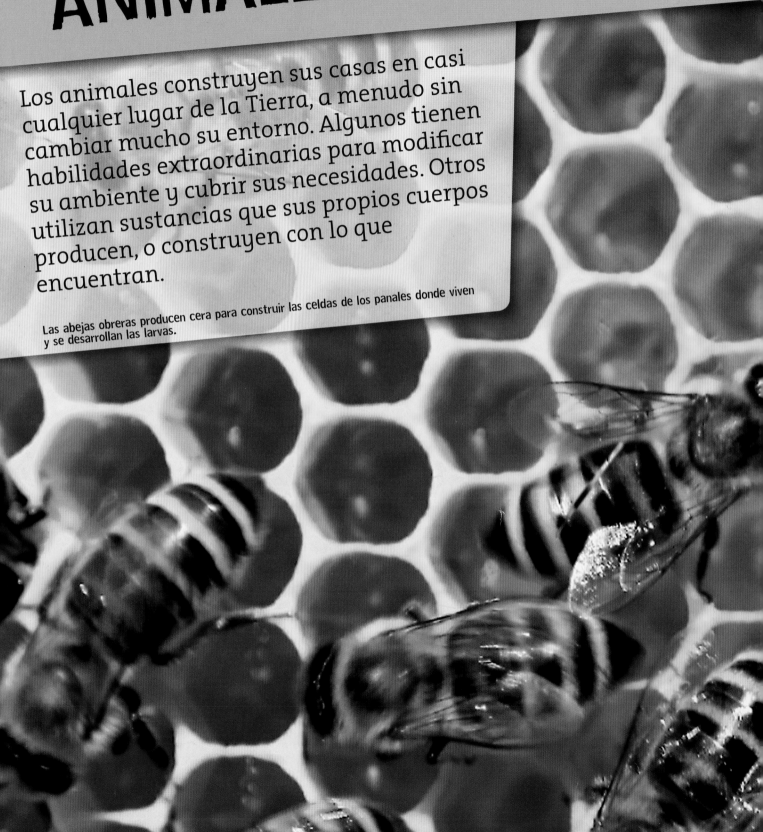

ANIMALES ARQUITECTOS

Los animales construyen sus casas en casi cualquier lugar de la Tierra, a menudo sin cambiar mucho su entorno. Algunos tienen habilidades extraordinarias para modificar su ambiente y cubrir sus necesidades. Otros utilizan sustancias que sus propios cuerpos producen, o construyen con lo que encuentran.

Las abejas obreras producen cera para construir las celdas de los panales donde viven y se desarrollan las larvas.

Superestructuras

Los animales usan técnicas impresionantes de construcción para hacer casas complejas y meticulosas. Los machos pueden ser presumidos con sus habilidades de construcción, ya que usan su talento para atraer a las hembras. Aunque muchos animales trabajan por su cuenta, y viven solos, algunos se comunican y cooperan para construir hogares en grupo para ellos y sus parientes cercanos.

Un solo huevo se pone en cada celda. Cuando las larvas eclosionan, las avispas adultas las alimentan con orugas parcialmente digeridas.

Datos animales

1 Las orugas malacosomas se esconden de sus depredadores en elaboradas carpas, con temperatura controlada, que tejen con seda.

2 Las avispas alfareras construyen nidos de lodo endurecido e introducen arañas paralizadas que sus larvas comerán.

3 Las hormigas verdes comprimen suavemente a sus larvas para producir una seda pegajosa útil para hacer sus nidos.

El inframundo Los perros de la pradera de cola negra construyen complicadas redes de túneles. La "ciudad" más grande albergaba a cientos de millones y se extendía por 64 750 km² en Texas.

Saliva pegajosa Las avispas de papel mezclan su saliva con fibras de madera para formar un material de construcción parecido al papel. Las celdas hexagonales de sus nidos se convierten en cunas donde las jóvenes avispas se crían.

Casas de aves Cientos de sociables pájaros tejedores africanos se juntan en un nido colonial de hasta 5 metros de ancho. Forman equipos para tejerlo con pasto y varas, pero adentro las familias individuales ocupan cámaras separadas.

La frescura de los materiales de construcción y la habilidad para tejer del macho son importantes para su pareja potencial.

A intentarlo otra vez Un tejedor enmascarado macho construye un nido compacto redondeado con una entrada en la base para tratar de complacer a una hembra. Si a ella no le gusta, él seguirá construyendo hasta que le guste.

La matraca del desierto protege a sus polluelos dentro de nidos en plantas espinosas.

Una araña sobre su tela.

Acércate a

telarañas

La seda de las arañas es un material de construcción increíble que empieza como un líquido producido en las glándulas del abdomen de una hembra. De allí, unos órganos especiales llamados hilanderas lo secretan como finas fibras y lo tejen en un solo hilo. Las patas traseras de la araña sacan la seda para construir telas y hacer casas, proteger sus huevecillos y capturar presas.

Casa de burbuja Para respirar bajo el agua, la araña acuática construye cámaras de seda sumergidas. Las llena con burbujas de aire que lleva desde la superficie.

Cómo construir una telaraña

Los araneidos construyen las típicas telas en forma de espiral que encontramos por doquier. Muchos rehacen por la noche su antigua tela después de reciclarla al comérsela. La seda contiene proteína y proporciona energía.

Un bastidor se fija en diversos puntos para estabilizar la construcción. Después, se colocan más rayos que salen desde el centro, creando una rueda de bicicleta.

La araña empieza con un hilo de seda sujetado en ambos extremos. Después, los primeros dos rayos en ángulo se añaden para formar el centro.

Adhesivo pegajoso La seda de araña no es pegajosa en sí. Las arañas hacen un pegamento especial que es una de las sustancias más pegajosas de la naturaleza. Lo agregan en forma de gotas diminutas cuando construyen sus telas.

Después de envolver a la mosca en seda, la araña inyecta saliva para disolver lentamente a la presa capturada.

Una mosca luchando manda vibraciones a la araña que está en espera, lo que le indica que la cena está atrapada.

Al trabajar del centro hacia afuera, la araña coloca un hilo no pegajoso en espiral para conectar los rayos.

Con la espiral no pegajosa como guía, la araña coloca la espiral atrapadora. Entonces destruye la espiral que no es pegajosa.

Trabajando con madera

Casi un tercio de la superficie firme de la tierra está cubierta por selva y bosques, donde miles de animales diferentes hacen sus casas. Viven sobre, dentro y debajo de los árboles y algunos incluso usan los troncos y las raíces para almacenar comida. Muchos animales también forman casas o nidos con varas, corteza y hojas como material de construcción.

Rata magueyera

Camas de árbol Los orangutanes pasan la mayor parte de sus vidas en árboles. Todos los días forman nidos con hojas y ramas para dormir. Las madres enseñan esta habilidad a sus crías desde temprana edad.

Casa espinosa Las ratas magueyeras construyen hogares complejos con cámaras separadas y túneles gracias al amontonamiento de cactus y otras plantas desérticas.

Caprichos emplumados Los machos del ave de emparrado satinada rastrean el área para encontrar objetos azules, incluidas pinzas de ropa y tapas de botellas, para decorar sus construcciones.

Datos animales

1 Las aves de emparrado macho construyen pasadizos en bóveda, llamados emparrados, de ramas y pasto sólo para impresionar a las hembras. Los forman en hilera de norte a sur.

2 Descubierto en 2010, en un área remota de Canadá, el dique de castores más grande medía 850 m de largo.

3 Algunos pájaros carpinteros usan las grietas en los troncos como despensa y almacenan la comida muy al fondo para que otras aves no entren a saquearla.

El serrín en el bosque es una señal reveladora de la actividad de un pájaro carpintero.

Constructores de hogares Como la mayoría de los pájaros carpinteros, el carpintero de Carolina usa su pico para excavar agujeros y anidar en los árboles. A menudo los usan otras aves o pequeños mamíferos, una vez que los carpinteros terminan de anidar y abandonan el agujero.

Acércate a

diques de castor

Los castores son grandes roedores que tienen un enorme impacto en su medio ambiente. Los adultos construyen diques en ríos o corrientes para atajar el agua y crear hábitats de humedal seguros y estables para sus familias. Estos estanques, a su vez, se convierten en hogar de peces, patos, ranas y otras criaturas. Debido a su influencia en el medio ambiente, los castores son conocidos como especie clave.

Acceso oculto Cada familia de castores vive en un hogar llamado madriguera. A menudo lo construyen antes del dique, de modo que la madriguera necesita estar ubicada con cuidado para evitar la inundación cuando la construcción del dique eleve el agua.

Una entrada debajo del agua ayuda a que la madriguera de los castores esté a salvo de depredadores.

Elevar el agua

Los castores construyen diques para soportar las presiones que ejerce el agua al ser contenida. En ríos de caudal lento, los diques son rectos, pero en corrientes rápidas, los diques tienen una curvatura para dispersar la fuerza del agua.

Colocan troncos pesados a lo largo, apoyados contra un árbol o rocas.

Atraviesan ramas más pequeñas, para llenar los espacios hasta que el agua se eleva.

Los incisivos de un castor son como cinceles. No pierden su filo porque nunca dejan de crecer.

Leñadores Los castores son capaces de talar árboles. Tienen cuerpos fuertes y musculosos y sus dientes incisivos son muy grandes. Su gran cráneo es soporte de fuertes músculos para masticar.

Casas bajo el agua

Caparazones marinos

Los océanos cubren alrededor de tres cuartas partes de la superficie de la tierra y brindan una amplia gama de lugares donde los animales eligen vivir. Algunos crean refugios móviles y flotan o nadan en mar abierto. Muchos más viven en arrecifes o sobre ellos. Aquí, en estos ecosistemas excepcionalmente vivos, incluso pueden usar a otros animales como casa.

Datos animales

1 Los dugones son mamíferos marinos parecidos a las vaquitas marinas, que pastan en las praderas de las aguas costeras del océano.

2 Tantos peces jóvenes buscan refugio entre las raíces de manglares inundados que estas áreas se conocen como guarderías de peces.

3 Miles de anguilas viven en rincones formados por la lava de un volcán submarino a 610 metros de profundidad en el Pacífico.

Separador de basura Los grandes pulpos azules cavan madrigueras en arrecifes de los océanos Índico y Pacífico. Amontonan en la entrada de su guarida caparazones de animales que se comieron.

Constructores de arrecifes Los arrecifes de coral se construyen con los restos sólidos de animales diminutos llamados pólipos. Cada pólipo produce una copa dura de carbonato de calcio, que se une a otras para formar arrecifes.

Pequeños poderosos Los caparazones hechos por foraminíferos tienen un gran impacto en los océanos. Aunque casi siempre son microscópicos, hay tantos que sus caparazones forman el suelo marino.

Escondites Los caparazones de las ostras pueden superponerse y crecer hasta formar arrecifes enormes, creando hendiduras y orificios acogedores donde muchos animales más pequeños pueden refugiarse.

Retiro tóxico Vivir entre los punzantes tentáculos de las anémonas protege a los peces payaso de los depredadores. Una capa mucosa que cubre a estos peces los mantiene a salvo de los dardos venenosos que matan a otros.

Control de aire El caparazón de un nautilo tiene muchos compartimentos huecos. Éstos pueden llenarse de gas o estar vacíos, lo que permite al nautilo controlar su movimiento hacia arriba y hacia abajo en el océano abierto.

Morena de lunares

La morena de lunares se esconde en los arrecifes de coral.

En cuevas

Las cuevas pueden ser casas ya hechas que ofrecen protección contra el clima y los depredadores. Algunos animales, como los osos, excavan cubiles. Los animales que viven de forma permanente en cuevas están especialmente adaptados a la oscuridad y, por lo general, son ciegos. Otros, como murciélagos y algunos pájaros, entran y salen de las cuevas durante el día o por la noche.

Fuera de la vista El proteo es una especie de salamandra encontrada en las aguas que fluyen en cuevas de Europa del Este. Como muchos habitantes permanentes de cuevas, son ciegos, pero tienen muy desarrollados el olfato y el oído.

Comodidad fría Los osos pardos viven en bosques en el norte de Europa, Norteamérica y Asia. Se preparan para el invierno con el aumento significativo de su grasa corporal antes de pasar meses en cubiles protectores.

Refugio invernal Durante el verano, los osos pardos europeos empiezan a buscar buenos sitios para hacer los cubiles donde puedan pasar el invierno. Ciertas grietas en las rocas y cuevas han sido usadas como cubiles durante siglos por muchos osos.

Murciélagos

Niñeras murciélago Las hembras de los murciélagos ratoneros grandes duermen por toda Europa en grandes colonias de crías en cuevas, minas y áticos. La mayoría de las madres salen a alimentarse por la noche, pero algunas se quedan para cuidar de los bebés.

Leyendas oscuras Los murciélagos vampiro de Centro y Sudamérica viven en cuevas, pozos y edificios abandonados. Para salvarse de los búhos, su mayor peligro, salen a alimentarse sólo en las horas de mayor oscuridad.

Los osos grizzly caen en un sueño profundo, pero no hibernan realmente.

Adaptación a las cuevas

Los murciélagos se congregan para obtener calor y protección. Sus patas están diseñadas para aferrarse a un lugar bajo la fuerza de gravedad cuando se cuelgan de cabeza en los techos de las cuevas y otros lugares oscuros y cerrados.

El poder de la zarpa Los osos grizzly por lo general excavan en laderas para crear impresionantes cubiles de invierno. Las hembras entran al cubil en otoño, entonces dan a luz y salen cuatro meses después, a menudo con un par de oseznos.

Protección portátil

Muchos animales desarrollan sus propias casas, lo que les permite moverse al mismo tiempo que se protegen del clima y los depredadores. Para los animales que no pueden hacer esto, crear un refugio móvil con los materiales de su entorno puede ser una opción. Otros se mudan a casas desechadas por otros animales cuando mueren o cuando crecen demasiado.

Datos animales

1 El caparazón del caracol tigre gigante de África puede crecer hasta 30 centímetros de largo; es el caracol terrestre más grande.

2 Todas las tortugas terrestres pueden esconder la cabeza y las patas debajo de sus caparazones para protegerse.

3 Un caparazón vacío es "casa vacante" para un cangrejo ermitaño, que se muda a uno más grande en cuanto puede.

Torre de varas Muchas larvas de tricóptero construyen estuches portátiles protectores con su propia seda y con trozos de varas, piedras u hojas. Los ganchos especiales del abdomen de los tricópteros mantienen unidas estas casas móviles.

A prueba de choques Como todos los crustáceos, la zapaya usa su esqueleto por fuera. Éste contiene un material llamado quitina que lo convierte en un duro escudo. Es esencial para sobrevivir a las potentes olas en playas rocosas.

El caparazón tiene una capa interior ósea, que se fusiona con las costillas y la espina dorsal.

Material fuerte
Ambas partes del caparazón de una tortuga, el carapacho superior y el plastrón inferior, están cubiertas por una capa de placas córneas llamadas escudos. Están hechos de queratina, que también se encuentra en las uñas, las garras, el pelo y las plumas.

Armadura pesada El enorme caparazón abovedado de la tortuga terrestre de patas rojas es pesado e incómodo, por lo que le es imposible hacer movimientos rápidos. Las duras placas del caparazón son una excelente protección contra un ataque.

?

¿Cuál tortuga tiene el caparazón más grande?

Diseño impecable El ligero caparazón de la tortuga de carey tiene un diseño aerodinámico para nadar en el mar. A diferencia de las tortugas que viven en tierra, las marinas no pueden retraer su cabeza y miembros dentro del caparazón.

Inquilinos agradecidos Los cangrejos ermitaños no tienen un caparazón externo duro en el abdomen como otros cangrejos. Para proteger esta delicada parte, se apropian de caparazones abandonados.

Los caparazones evitan que los **caracoles** se sequen.

R: *La tortuga gigante de Galápagos. Su caparazón puede pesar 250 kilogramos y llegar a 1.5 metros de largo.*

LOS CAVADORES

Los animales que excavan son conocidos como "fosoriales". Sus poderosos miembros anteriores les permiten hacer agujeros en la tierra. Sus cuerpos aerodinámicos les ayudan a pasar por túneles interconectados. Algunos viven permanentemente debajo de la tierra; a menudo son ciegos o tienen vista débil.

Los abejarucos carmín excavan con sus picos intrincados túneles para anidar.

Madrigueras calentitas

La vida subterránea presenta nuevas oportunidades para los animales terrestres. Una madriguera puede ser un lugar excelente para esconderse de los depredadores. Es más fácil evitar la severidad del tiempo debajo de la superficie, donde la temperatura y la humedad son más constantes que afuera. En la tierra también se encuentran diferentes fuentes alimenticias.

Las entradas a las conejeras son pequeñas para mantener ocultos a sus habitantes, pero debajo de la superficie el túnel es más ancho.

Muy ocupados Los tejones viven en grupos familiares y cavan extensas madrigueras subterráneas. Éstas pueden tener casi 300 metros de túneles, unidos en grandes laberintos con docenas de aberturas en la superficie.

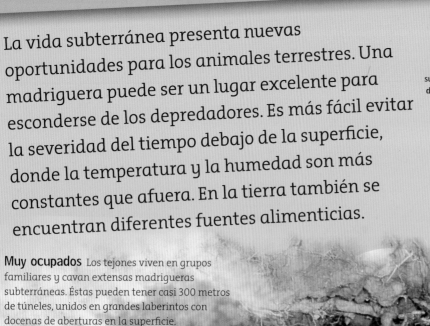

Una acalorada búsqueda Los topos europeos cavan túneles casi siempre que buscan presas, principalmente lombrices. Sus estrechos túneles dejan reveladores montículos de tierra, mientras que los pasadizos permanentes están en la profundidad.

Agujeros de gazapos Las casas subterráneas de los conejos europeos son madrigueras. Estos animales excavadores viven en grupos familiares dentro de territorios fijos que incluyen redes de túneles con numerosas salidas.

Datos animales

1 Las zorras rojas rara vez excavan sus propias guarderías. Por lo regular, aprovechan madrigueras abandonadas por otros animales.

2 Los ornitorrincos excavan madrigueras secas y ovales en las orillas de ríos y riachuelos, donde cazan a sus presas.

3 La nariz de los topos de nariz estrellada está rodeada de tentáculos sensibles al tacto que detectan impulsos eléctricos; son perfectos para cazar bajo tierra donde la vista es inútil.

Las **ardillas listadas** cavan por separado la guardería, la despensa y el baño.

¿Qué animal excava complejos sistemas de túneles bajo los desiertos australianos?

Los bebés de los conejos, llamados gazapos, se mantienen calentitos en cámaras forradas de pasto.

R: El egernia kintorei, un lagarto del desierto que crea madrigueras de hasta 13 metros de ancho.

Wombat común

Acércate a

wombats

Los wombats, entre los animales más grandes que hacen madrigueras, pasan dos tercios de su vida bajo tierra. Estos marsupiales viven en la parte continental del este de Australia y Tasmania. Un solo wombat puede crear 20 metros impresionantes de túneles, ubicados hasta 4 metros bajo tierra. La madriguera incluye cámaras para anidar y múltiples entradas.

Bebé a bordo Una hembra wombat lleva a su bebé recién nacido en su marsupio, que ve hacia la parte trasera de su cuerpo. Cuando es demasiado grande para ser transportado, el bebé se queda solo en la madriguera mientras su madre sale para alimentarse.

Bulldozers de la naturaleza

Una estructura sólida, cabeza ancha, y cortas y poderosas patas hacen de los wombats excelentes arquitectos del paisaje. Los adultos suelen medir 1 metro de largo y pesar 25 kilogramos, pero algunos llegan hasta los 36 kilogramos.

Los cinco dedos de las patas delanteras tienen fuertes y afiladas garras, perfectas para excavar tierra dura.

Forrajeador nocturno Los wombats generalmente salen de su madriguera después de la puesta de sol para comer, casi siempre pasto. Hacen esto durante varias horas cada noche, pero con pausas para descansar en sus madrigueras.

En la entrada de la madriguera dejan una marca de olor para alejar a otros wombats.

El marsupio de un wombat abre hacia atrás para evitar llenarlo con tierra durante las excavaciones.

Acceso riesgoso Una maniobra especial de los wombats defiende las entradas de las madrigueras. Los depredadores, tales como los perros salvajes, corren el riesgo de aplastarse la cabeza contra la pared de la entrada y el cuerpo de un wombat que a propósito se echa en reversa.

Aves de madriguera

Ningún ave vive totalmente bajo tierra, pero muchas hacen sus nidos allí. A menudo forman túneles para incubar huevos y criar a sus polluelos martillando y rascando en el sitio con sus picos y patas, pero algunas se mudan a madrigueras ya excavadas por otros pájaros o mamíferos, como roedores o conejos.

Las golondrinas zapadoras ponen sus nidos en peñascos o yacimientos de grava, lugares con arena o tierra suelta que se remueve fácilmente.

Apoderarse del túnel Los tecolotes llaneros usan túneles excavados por otros animales, particularmente por los perros de la pradera, para anidar y para posarse durante el día. Son cazadores, como los búhos, y a veces atrapan a sus presas dentro de estos pasajes subterráneos.

Zona de vuelo prohibido Las madrigueras rocosas con entradas estrechas son las favoritas de los pingüinos pequeños. Estas aves, que no vuelan, anidan en colonias costeras. Las parejas se unen de por vida y a menudo vuelven a las madrigueras que usaron en épocas de anidación anteriores.

La tierra dura puede causar lesiones graves en el martín pescador cuando cava su nido.

Los frailecillos a menudo excavan sus nidos en hendiduras verticales en la cima de riscos.

Excavadores aéreos Por lo regular, los martines pescadores escogen para anidar una ubicación por encima de la línea del agua en las riberas. Ambos padres harán un agujero volando repetidamente y con fuerza en el sitio elegido, golpeando el área con sus duros picos.

Habitación con vista Las madrigueras de los frailecillos del Atlántico pueden extenderse más de 2 metros bajo tierra. Cavando con sus picos y patas, estas aves a menudo eligen sitios de anidación con vista hacia lugares para pescar.

Un túnel corto lleva a la guardería de un nido en la ribera.

Minibestias de túneles

Por mucho, el grupo animal más grande que construye túneles como refugio, para encontrar comida y cuidar a sus crías, incluye insectos, gusanos y arañas. Éstas y otras pequeñas criaturas sin espina dorsal, llamadas invertebrados, son alimento de animales más grandes. Sus actividades subterráneas fertilizan y rompen la tierra, la arena y, a veces, roca.

Conducta aburrida Las abejas carpinteras hembra buscan alimento entre las flores, pero a diferencia de otras abejas, no forman panales para criar a sus pequeñas, sino que hacen nidos excavando en madera o bambú.

Datos animales

1 La tierra mejora cuando las lombrices la comen y sacan por su otro extremo. Sus túneles ayudan a aumentar el drenaje y la descomposición útil de la materia vegetal.

2 Los grillos topo macho construyen cámaras en túneles que amplifican los chirridos que atraen a las hembras.

3 Los gusanos tubícolas viven en túneles con forma de U en el lecho marino. Se alimentan de plantas diminutas y animales que flotan por allí.

Laberintos fantasmales El camarón fantasma cava madrigueras con ramificaciones en el lecho marino. Al rehacer constantemente sus casas, aumentan los niveles de sedimento, oxígeno y nutrientes, mejorando la salud del ambiente marino.

Comedores de playa Los notorios agujeros en la arena son señal de madrigueras de arenícola marina. Cavan hacia abajo comiendo arena y absorbiendo el material vegetal y animal que pasa por su interior. Dejan detrás hileras de "moldes" de arena limpia.

Arañas

Provisión de alimento

Algunas abejas australianas cavan túneles para anidar en roca blanda, lodo endurecido o incluso en el mortero de estructuras de ladrillos. Las hembras dejan provisiones de néctar y polen para que sus larvas coman cuando eclosionen.

Arrendamiento largo Las tarántulas del desierto pueden vivir en la misma madriguera de tierra durante dos décadas, ampliándola conforme crecen. Una cubierta de seda fortifica las paredes.

Saltadores Las arañas lobo son cazadoras nocturnas expertas que saltan sobre su presa. De día, se refugian en madrigueras verticales forradas con seda. Algunas esconden la entrada con escombros, mientras que otras construyen una puerta falsa en la entrada.

La crisálida del **escarabajo tigre** se transforma bajo tierra y sale como adulto.

Empiezo retrasado Las cícadas pasan la mayor parte de sus vidas en la tierra. Estas larvas se parecen a las adultas, pero sin alas. Con sus aparatos bucales, que parecen agujas, trozan las raíces de los árboles para alimentarse de la savia.

Las cícadas maduras emergen tras 17 años bajo tierra.

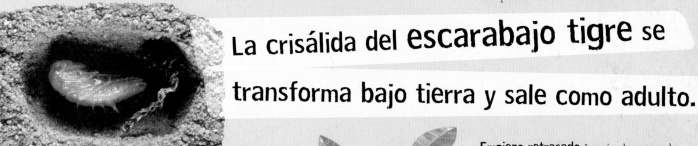

VIDA EN GRUPO

En el reino animal, vivir juntos puede representar ventajas, como tener más ojos que vigilen a los depredadores, y algunas tareas, como hacer nidos y cuidar a los bebés, pueden compartirse. Sin embargo, no todos los animales forman grupos permanentes. Pueden reunirse sólo para la reproducción o porque quieren la misma comida.

Los esqueletos de pólipos de coral forman arrecifes que protegen a otros animales.

Comunidades animales

Las animales que viven en comunidades a menudo están relacionados. Pueden ser una familia central, que consista en sólo padres e hijos. Algunos grupos son familias extensas que también incluyen abuelos, tíos, tías y primos. Las relaciones familiares alientan a los parientes a hacer vigilancia para todos y estar más dispuestos a compartir recursos como la comida.

Asunto familiar Las suricatas del desierto son mamíferos que viven en túneles y forman grupos sociales complejos. Cada grupo a menudo incluye hasta tres familias y puede contener hasta 30 individuos.

Abrazos en grupo

El contacto físico muy cercano ocurre a menudo entre individuos en comunidades. Puede ser por fines de reproducción o para compartir el calor corporal en condiciones frías. Los animales también pueden formar grupos cerrados para lucir más grandes o más temibles ante los depredadores.

Agruparse ayuda a los murciélagos frugívoros a calentarse y a formar una defensa colectiva contra posibles atacantes.

Condiciones correctas durante la reproducción —suelo húmedo con abundante materia vegetal— pueden llevar a una explosión poblacional de lombrices de tierra.

Las ratas topo lampiñas no pueden controlar la temperatura de sus cuerpos tan bien como otros animales, así que se amontonan para generar calor.

Una camada de perros de la pradera puede constar de una a ocho crías.

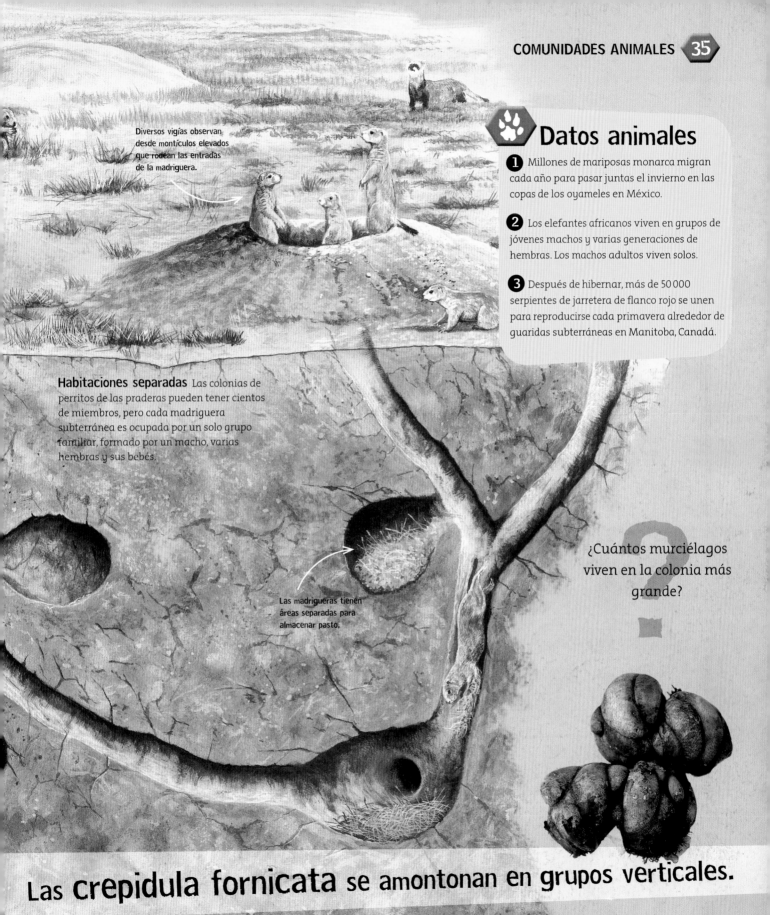

Diversos vigías observan desde montículos elevados que rodean las entradas de la madriguera.

Datos animales

1 Millones de mariposas monarca migran cada año para pasar juntas el invierno en las copas de los oyameles en México.

2 Los elefantes africanos viven en grupos de jóvenes machos y varias generaciones de hembras. Los machos adultos viven solos.

3 Después de hibernar, más de 50 000 serpientes de jarretera de flanco rojo se unen para reproducirse cada primavera alrededor de guaridas subterráneas en Manitoba, Canadá.

Habitaciones separadas Las colonias de perritos de las praderas pueden tener cientos de miembros, pero cada madriguera subterránea es ocupada por un solo grupo familiar, formado por un macho, varias hembras y sus bebés.

Las madrigueras tienen áreas separadas para almacenar pasto.

¿Cuántos murciélagos viven en la colonia más grande?

Las **crepidula fornicata** se amontonan en **grupos verticales.**

Acércate a

termitas

obrera

soldado

El laberinto de canales está diseñado para controlar el flujo de aire, la temperatura y la humedad.

rey

reina

Las termitas son insectos sociales. Como la mayoría de las hormigas, y algunas abejas y avispas, las termitas forman colonias y trabajan juntas. Las termitas obreras construyen nidos, casi siempre subterráneos, con tierra o material vegetal mezclado con saliva y heces. Algunas termitas, particularmente en África y Australia, construyen torres impresionantes de 6 metros de altura.

Reglas laborales Los diferentes grupos, llamados castas, realizan diferentes tareas en una colonia de termitas. La mayoría son obreras que construyen y mantienen el nido. Las soldado ahuyentan a los invasores, y el rey se aparea con la reina, que puede producir hasta 2 000 huevecillos al día.

Bocados sabrosos

Las termitas se alimentan de materia vegetal muerta, desde hojas pequeñas y ramas hasta enormes troncos de árboles. Muchas especies comen madera en nuestras casas. Los tamaños de las colonias oscilan entre unos cuantos centenares hasta algunos millones, todos descendientes de una sola reina.

Los chimpancés usan varas como herramientas para picar los duros montículos y extraer las ricas termitas que están dentro.

Plática de insectos Las termitas intercambian información para coordinar su trabajo. Martillean con su cabeza para mandar mensajes a través de vibraciones. También se comunican mediante el tacto y las hormonas que expide su cuerpo.

Torres de pisos Los montículos en forma de torre tienen a lo largo espacios centrales de ventilación, como chimeneas, para eliminar el calor, el aire enrarecido e introducir aire fresco.

¿Quién es el jefe?

Para que los grupos de animales funcionen bien y vivan en armonía debe haber reglas. Si la confusión se apodera de ellos, todo el grupo sufre y puede ser el fin. A menudo, unos cuantos animales están a cargo. A veces uno gobierna a los demás.

Ley de la jauría Las jaurías de licaones pueden tener 40 miembros. Una pareja reproductora domina y produce todos los cachorros. El cuidado de las crías se comparte entre toda la manada.

Modales para comer Los buitres parecen comer con una ansiedad alimenticia enfermiza, pero incluso ellos obedecen reglas cuando devoran un cadáver: los más grandes y los viejos generalmente cenan primero.

Poder femenino Los lémures de cola anillada de Madagascar son gobernados por las hembras. Los machos ondean sus colas y se rocían entre sí con un líquido que producen las glándulas de sus muñecas para indicar dominio.

¿Cómo hacen las alondras macho para decirles a los demás que no entren a su territorio?

¡Abre grande! En los grupos de mandriles, el macho más grande con la cara más brillante es quien manda. Cuando se ve retado, muestra sus temibles dientes en un enorme "bostezo de tensión".

Los dientes serrados y curvos de un dragón de Komodo pueden arrancar carne y secretar un veneno que destruye los tejidos.

Lagartos feroces Para determinar el dominio y quién ganará derechos de apareamiento con las relativamente escasas hembras, los dragones de Komodo macho emprenden batallas brutales, a veces mortales.

R: Con un espectacular "vuelo-canción" que puede durar hasta una hora y combina acrobacias aéreas con un trino complicado.

Abeja

Acércate a

una colmena

La mayoría de las abejas viven y trabajan juntas en grandes grupos en nidos llamados colmenas. Sólo una hembra, la reina, pone huevos y todas las otras abejas son sus hijas. Casi toda la población son obreras que sin descanso dan mantenimiento al panal, buscan alimento y crían a las pequeñas.

La miel, hecha por las obreras con néctar, se almacena en celdas tapadas con cera.

obrera

Renovación constante La reina pone un solo huevecillo en cada celda hexagonal del panal. Casi tan pronto como eclosionan, las nuevas abejas obreras cuidan las celdas que contienen a la nueva generación.

Las larvas en desarrollo se alimentan primero con jalea real, un alimento especial producido por las glándulas de las abejas obreras, después con polen y miel.

Provisiones Las abejas visitan hasta 100 flores cada vez que dejan la colmena para recolectar néctar. De regreso, indican a las otras la ubicación de las flores mediante una "danza especial de meneos".

Orden natural Las abejas silvestres a menudo construyen colmenas en árboles o cuevas. Suelen colocar cámaras para los huevecillos y las larvas en la base, almacenes de polen encima y luego la miel.

Partida masiva Cuando una colmena está sobrepoblada, la reina se marcha con miles de obreras en un enjambre para crear una nueva colmena. Se mandan exploradoras para encontrar un lugar adecuado.

reina

Colonias de aves

Cuando los animales encuentran buenos sitios para alimentarse o anidar, pueden formar una colonia y marcar su territorio. Las colonias pueden ser temporales y volverse a formar en el mismo lugar cada año, o pueden ser formaciones permanentes. Para criar familias, ser parte de una colonia ofrece mucha mejor protección de los depredadores que estar solos.

Seguridad por cantidad

Las aves son particularmente conocidas por formar colonias para reproducirse. Es muy significativo que necesiten un lugar al que difícilmente lleguen los depredadores, el cual debe estar cerca de una fuente confiable de alimento.

Los pingüinos rey se reproducen en colonias ruidosas, a menudo olorosas, en las islas del Antártico, donde no hay grandes depredadores terrestres.

En un destello de rosa, los flamencos, que viven en grandes y permanentes colonias, realizan demostraciones simultáneas de cortejo.

Los alcatraces eligen cimas aisladas de riscos en costas o islas cerca de lugares de pesca para establecer sus colonias de reproducción.

Movimiento en grupo Algunas aves migran juntas en grandes cantidades, con lo cual toda una colonia se reubica. Otras especies de aves prefieren viajar por separado o en pequeños grupos para incrementar el número de miembros de la colonia.

Rascacielos Las colonias de cormoranes que están tierra adentro por lo general anidan muy alto en los árboles y construyen con pastos de humedales. Las colonias de la costa construyen con algas en salientes rocosas.

Datos animales

1 Las colonias de araos de la isla de Skomer, Reino Unido, pueden tener 60 aves en sólo 1 metro cuadrado de la pared de un risco.

2 Pocos animales soportan el agua alcalina del lago Natrón, en Tanzania, aún así, alberga 2 millones de flamencos enanos.

3 Las colonias en anidación de caciques coliamarillos de Sudamérica ahuyentan a los depredadores construyendo sus nidos colgantes muy cerca de avisperos.

Vida citadina

Los animales que se reproducen en las ciudades comparten características clave. Tienen ciclos de reproducción muy rápidos, lo que aumenta su cantidad cuando los condiciones son buenas. Se han adaptado a vivir con contaminación y la falta de vegetación natural. Generalmente capaces de vivir con una amplia variedad de comida, rara vez tienen necesidades alimenticias.

Habitante urbano Las palomas domésticas, que viven en ciudades de todo el mundo, surgieron de las palomas bravías. Originalmente comían semillas, pero ahora comen sin parar casi cualquier cosa.

Datos animales

1 Algunas aves rapaces, como los halcones peregrinos, anidan en rascacielos y sus presas son las abundantes palomas y los roedores.

2 Los conejos europeos han alcanzado grandes poblaciones en algunos países donde fueron introducidos, pero están en peligro en su lugar de origen, Europa occidental.

3 El incremento de los viajes humanos es quizás el responsable de la propagación de plagas de chinches en ciudades de todo el mundo.

Cuando la comida abunda, un ratón se reproduce pronto.

Atracción turística En el embarcadero 39 del muelle de la Bahía de San Francisco se congregan leones marinos de California. Cientos descansan allí cada año antes de reanudar sus migraciones al sur.

Al adaptarse a escenarios urbanos, los estorninos europeos se han convertido en una de las aves más abundantes de todo el mundo.

Saquear Los osos negros son carroñeros notables. Como los humanos se han mudado cerca de su hábitat natural, las costumbres alimenticias de estos osos han cambiado de la caza al saqueo de tiraderos, áreas de picnic y botes de basura.

Bandidos enmascarados Los mapaches tienen por naturaleza dietas muy amplias, ya que comen desde gusanos hasta fruta, nueces y huevos. Viven de desperdicios de comida en los suburbios de las ciudades.

NIDOS SORPRENDENTES

Los nidos son donde muchos animales tienen crías, cuidan de los jóvenes, descansan y buscan refugio. Ponen gran cuidado y atención a cómo y dónde los construyen, pues deben ser seguros, calientes y cómodos. Una gran variedad de animales que ponen huevos, desde arañas hasta cocodrilos, hacen nidos, pero los pájaros son conocidos como los maestros.

Los avispones construyen nidos con saliva mezclada con tierra y fibras vegetales masticadas.

Los mejores nidos

Ningún grupo de animales construye tan diferentes tipos de nidos como las aves. Varían de complicadas bolsas más pequeñas que una nuez hasta enormes plataformas de varas de varios metros de ancho. Algunos se construyen para durar y reutilizarse cada año. Otros son hogares temporales, abandonados una vez que las crías se van.

Proyecto continuo Tanto el jabirú macho como la hembra participan en la construcción del nido. Sus nidos de varas, colocados en un árbol de hasta 30 metros de altura, se agrandan cada año.

¿Dónde construyen los tordos sus nidos?

?

Fortaleza borrosa A los depredadores les resulta casi imposible entrar a los nidos colgantes de los pájaros moscones. Como calcetines de tejido muy cerrado, los machos los tejen con una mezcla de pelo, lana, telarañas y plantas.

ACERCAMIENTO

Datos animales

❶ Las águilas calvas hacen los nidos en plataforma más grandes: más de 3 metros de diámetro, 6 de profundidad y pesan 1.8 toneladas.

❷ Durante miles de años, los halcones gerifalte de Groenlandia han anidado en los mismos huecos tallados con forma de tazón en salientes rocosas que sus ancestros usaron.

❸ Posiblemente todos los dinosaurios construían nidos para sus huevos; algunos incluso se quedaban en ellos para cuidar a las crías después de la eclosión.

Inquilinos Las cotorras monje a veces construyen sus nidos dentro de los nidos de jabirúes. Con las aves más grandes arriba, los depredadores se desalientan.

Justo antes de emerger, la mariposa puede verse a través de la crisálida.

Cámara de crecimiento
La crisálida de algunas mariposas y polillas es como un cómodo nido individual donde una oruga se convierte en adulto.

¡Cuidado abajo! Con un peso de hasta 9 kilogramos, el pigargo de Steller es el águila marina más pesada. Sus enormes nidos, a menudo construidos en la cima de árboles muertos, son tan pesados que pueden colapsar.

Las infestaciones de ácaros en el nido viven de migas de comida y fragmentos de piel y plumas.

La talla importa Frecuentemente usados por años, los nidos de varas de las cigüeñas blancas pueden alcanzar grandes proporciones, hasta 2 metros de ancho y 3 metros de profundidad.

R: La mayoría no construye nidos. Salvo una especie, todas ponen sus huevos en otros nidos.

LOS materiales

Para construir sus nidos, los animales usan casi siempre lo que encuentran en su entorno inmediato. Algunos tienen necesidades específicas y pueden ser muy quisquillosos. Otros usarán cualquier cosa disponible. Algunos añaden sustancias de sus propios cuerpos. A menudo, los materiales utilizados sirven como camuflaje y ayudan a esconder el nido de depredadores hambrientos.

Pequeñitos Las hembras del colibrí tejen nidos muy apretados con forma de copa y no más grandes que una pelota de golf. En ocasiones usan telarañas para que el nido se expanda y los polluelos tengan espacio. Trozos de musgo o liquen sirven como camuflaje.

Trabajar con hojas

Para los animales de zonas arboladas y bosques hay una abundante provisión de hojas para hacer nidos. Las hojas pueden incorporarse al refugio en varias formas complejas.

Colonias de hormigas tejedoras construyen enormes nidos pegando hojas frescas con seda que obtienen oprimiendo suavemente a sus larvas.

Para estar a salvo de peligrosos depredadores en la noche, las arañas saltadoras tejen cámaras de seda en hojas rizadas.

Para crear nidos abolsados, los tejedores cortan hojas con su puntiagudo pico, luego las unen con seda de araña u oruga.

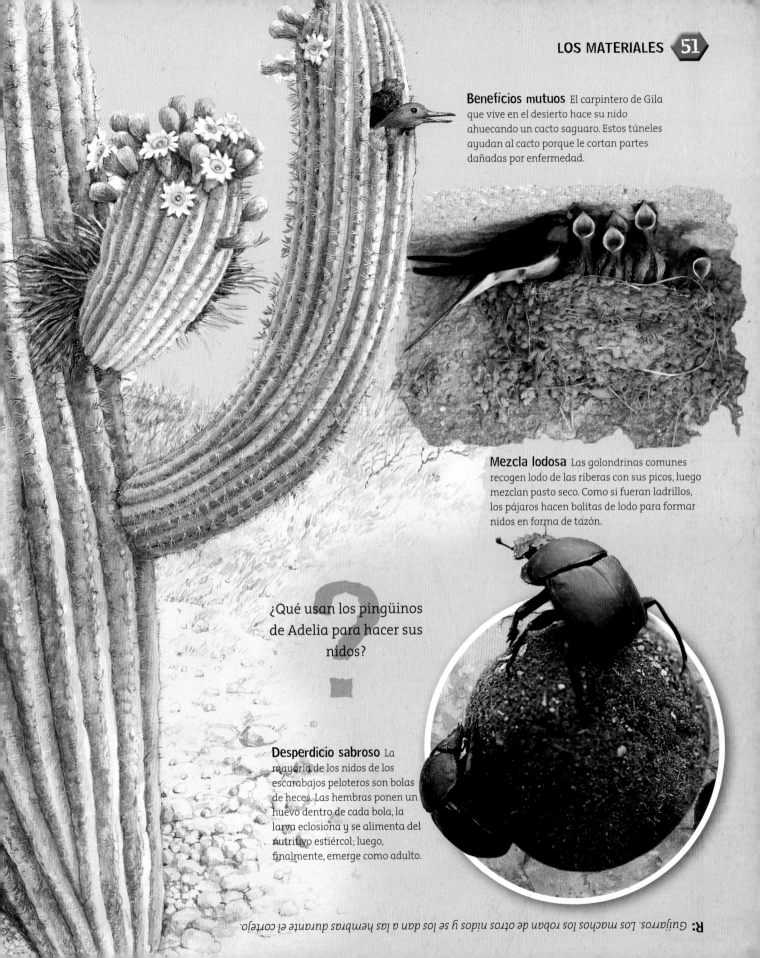

Beneficios mutuos El carpintero de Gila que vive en el desierto hace su nido ahuecando un cacto saguaro. Estos túneles ayudan al cacto porque le cortan partes dañadas por enfermedad.

Mezcla lodosa Las golondrinas comunes recogen lodo de las riberas con sus picos, luego mezclan pasto seco. Como si fueran ladrillos, los pájaros hacen bolitas de lodo para formar nidos en forma de tazón.

¿Qué usan los pingüinos de Adelia para hacer sus nidos?

Desperdicio sabroso La mayoría de los nidos de los escarabajos peloteros son bolas de heces. Las hembras ponen un huevo dentro de cada bola, la larva eclosiona y se alimenta del nutritivo estiércol; luego, finalmente, emerge como adulto.

R: Guijarros. Los machos los roban de otros nidos y se los dan a las hembras durante el cortejo.

Nidos flotantes

Para las aves acuáticas, las orillas de los lagos y los humedales donde viven pueden estar repletos de nidos durante la temporada de reproducción. Posarse en un nido sobre el agua es una forma de escapar de la multitud. También mantiene los huevos y los polluelos lejos de depredadores terrestres, pero puede significar estar más expuestos a las aves rapaces.

Datos animales

1 Las ranas macho mezclan aire en un líquido producido por las hembras durante el apareamiento para crear nidos de espuma flotante.

2 Aunque los nidos de fochas están rodeados de agua, no flotan. Están colocados en una base fabricada de vegetación o roca.

3 Los peces espinosos macho hacen complicados nidos con algas y plantas acuáticas que se parecen a los nidos de aves.

Gallareta

La **gallareta** pone sus huevos en nidos hechos con vegetación muerta flotante y plantas acuáticas vivas.

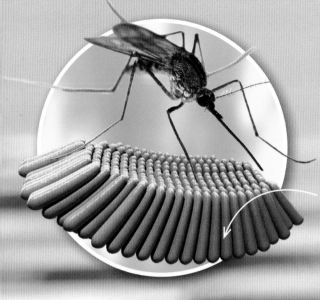

Insectos flotantes Todos los mosquitos necesitan agua para completar su ciclo de vida. Algunos ponen un huevo a la vez en la superficie del agua, luego los unen en una balsa flotante.

Las balsas pueden contener más de 100 huevecillos, que generalmente eclosionan a las 24 horas.

Padres cuidadosos Los somorgujos lavancos anclan sus nidos flotantes a la vegetación de la orilla para que no se los lleve el agua. Los padres tienen la precaución de no llamar la atención hacia el sitio cuando van y vienen.

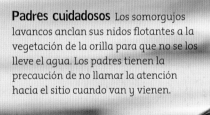

Guardería flotante Los polluelos de fumarel cariblanco eclosionan en balsas de vegetación acuática y a menudo son alimentados por sus madres en vuelo.

Nidos en montículos

Diversos grupos animales usan tierra o arena amontonada, a menudo mezclada con materia vegetal, como incubadoras gigantes. Estos montículos retienen calor del sol y el aire circundante. Como los montículos de composta, éstos también generan su propio calor debido a la materia vegetal en descomposición.

Datos animales

1 El sexo de las crías de cocodrilo depende de la temperatura del montículo durante la incubación. Cada especie tiene requerimientos de calor ligeramente distintos.

2 Con los sensores de calor de sus picos superiores, los pavos de matorral revisan la temperatura tras recoger bocados de tierra.

3 Los agresivos dragones de Komodo de Indonesia con frecuencia ponen huevos en pilas de vegetación en descomposición en los nidos de aves que forman montículos.

Amor maternal Los mamás cocodrilo son las más devotas del mundo de los reptiles. Durante casi 100 días, las hembras vigilan ferozmente su nido, construido con lodo compacto y plantas arrancadas. Los recién nacidos chirrían para indicar que están listos para que los saquen del montículo.

Cuidados paternales Los pavos de matorral macho vigilan la incubación de los huevos. Permiten a varias hembras poner sus huevos allí, antes de llevárselos. Con cuidado se ocupan del montículo para que mantenga una temperatura constante de 33 a 38° C.

Colinas de hormigas

Las hormigas madereras crean montículos de entrada sobre sus nidos subterráneos. Las obreras los construyen en lugares soleados llevando a la superficie tierra o arena excavada. A veces añaden ramitas o fragmentos de vegetación.

El calor del sol es absorbido por el montículo de color oscuro, lo que mantiene más caliente el nido que la tierra alrededor.

Padres orgullosos Los flamencos gigantes construyen nidos de lodo y varas de hasta 25 centímetros de alto y 40 de ancho. Ambos padres se turnan para incubar un solo huevo que hace eclosión después de un mes.

La casa del árbol

Los hoyos en los troncos y ramas de los árboles son hogares prácticos para muchas aves y algunos mamíferos. Las duras paredes son buenas barreras contra el mal tiempo y los depredadores. Aunque los animales hacen los hoyos, muchos aprovechan aquellos que otros crearon o usan cavidades naturales en árboles viejos o muertos.

Siestas diurnas Los tarseros fantasma son primates del tamaño de una rata que sólo se encuentran en Indonesia. De día, descansan, cobijados en ranuras o agujeros en árboles de la selva tropical, sobre todo en higueras. Salen al anochecer para cazar insectos.

Datos animales

1 El trogón violáceo, un pájaro de Centro y Sudamérica, pone sus huevos en hoyos que excava en nidos activos de avispas.

2 Los carpinteros de cresta roja cavan en pinos, haciendo la entrada inclinada hacia arriba para evitar que la lluvia entre.

3 Los periquitos encapuchados hacen sus nidos dentro de montículos de termitas. Las larvas de polilla mantienen limpia el área comiéndose la suciedad de los polluelos.

Trabajos en madera Las patas de la Florida generalmente anidan en cavidades ya hechas en árboles, que cubren con plumón. Si hay escasez de lugares adecuados para anidar, pueden poner sus huevos en el nido de alguien más.

Haga el suyo

Perforador Como la mayoría de los pájaros carpinteros, el pico picapinos talla su propio nido en troncos de árbol. Prefiere la madera suave o en descomposición. Tanto machos como hembras hacen el trabajo.

Madera inútil Algunos pájaros hembra excavan la cámara del nido en la madera de pinos muertos suavizada por hongos. Les puede tomar semanas. Pueden forrar el agujero con musgo, pelo de venado, liquen o telarañas.

Inquilinos secundarios El cárabo lapón no construye su propia casa. Al contrario, se apropia de nidos hechos por otras grandes aves o escoge agujeros en tocones de árboles muertos.

Enclavados Los polluelos de guacamayo azul y amarillo permanecen en sus nidos al menos por 10 semanas, hasta que les salen todas las plumas. Anidan en palmeras muertas.

Nidos de mamíferos

Para muchos mamíferos, los nidos son lugares seguros donde parir y amamantar a las crías. Debido a que los mamíferos muy pequeños tienen dificultad para mantener su temperatura corporal, necesitan sitios tibios y cómodos. A veces, los animales bebés son independientes poco después de nacer y dejan el nido pronto. Otros necesitan más tiempo para desarrollarse antes de atreverse a salir por sí mismos.

Datos animales

1 Las ratas de agua construyen nidos hechos con lodo y hojas, hasta de un metro de altura, en la base de árboles de mangle.

2 Las musarañas hembra de árbol no se quedan con sus bebés después de que nacen, pero vuelven para alimentarlos cada dos días.

3 Los erizos usan tres nidos: uno en el verano para siestas diurnas, otro como guardería en primavera, y otro para hibernar en invierno.

Apiñados

Los nidos de mamíferos creados en el suelo o sobre él pueden ser parte de un sistema de madrigueras más grande. Éste suele ser el caso de mamíferos pequeños. Muchos mamíferos más grandes crean nidos temporales.

Las crías de rata almizclera crecen en nidos forrados de pasto dentro de refugios abovedados construidos sobre el borde del agua.

Las hembras de jabalí buscan vegetación densa donde pueden crear un nido seguro y cómodo.

Minibolitas Los murciélagos blancos de Honduras dan forma de tiendas de campaña a las hojas y se aferran al interior en pequeñas colonias. Cada murciélago pesa alrededor de 5 gramos y las hembras sólo tienen una cría a la vez.

Gran espacio Los ratones espigueros tejen nidos de pasto, a veces en plantas altas o carrizos de hasta 1 metro de altura. Los nidos miden no más de 10 centímetros de diámetro.

Plan de respaldo Las ardillas grises prefieren anidar en cavidades de árboles, pero cuando no hay ninguna disponible, construyen nidos en las horquetas de los árboles. Los nidos están hechos de varas y hojas bien apretujados y forrados con plantas hechas hebra.

Nidos de simios

Todos los grandes simios –chimpancés, gorilas, orangutanes y bonobos– hacen nidos. Viven en bosques y deambulan en busca de alimento. Con hojitas y ramas, tanto para siestas de día o dormir de noche, construyen nuevos nidos todos los días. Hacer nidos no es instintivo; esta conducta aprendida la enseñan las madres a sus hijos cuando son jóvenes.

¿Los simios usan almohadas para dormir?

Datos animales

1 El orangután macho adulto, que tiende a vagar por su cuenta y vigilar sus territorios, no suele hacer nido para la siesta.

2 A veces los chimpancés reutilizan nidos viejos, particularmente si están cerca del alimento, pero la mayoría usa uno nuevo.

3 Por su naturaleza sociable, los bonobos adultos a menudo comparten sus nidos, pero son los únicos grandes simios que lo hacen.

Siesta rápida

Los bonobos son extremadamente sociales y viven en comunidades estables hasta de 150 individuos. Cada tarde, construyen nidos firmes en horquetas de árboles usando hojas y ramas y los colocan cerca unos de otros.

Igual que otros grandes simios, los bonobos duermen más bien por la noche, pero también les gusta descansar durante el día.

Ritual diario Los orangutanes hacen cuidadosamente un nuevo nido en árboles todas las noches y se tardan hasta 30 minutos en construirlo. La mayoría también hace nidos para siestas diurnas, sobre todo las madres con sus crías.

Camas en el suelo Los gorilas generalmente construyen nidos terrestres nuevos todos los días para hacer la siesta y para dormir por la noche. Colocan hojas y ramas para formar un "colchón" que casi nunca usan dos veces.

Chimpancés

Lejos de las madres y sus bebés, los chimpancés duermen solos.

R: Tanto los orangutanes como los chimpancés han sido vistos creando "almohadas" cómodas con hojas.

Glosario

Abdomen parte del cuerpo de un animal que contiene el sistema digestivo y los órganos de reproducción.

Acuático que vive o crece en el agua.

Adaptar cambiar con el fin de sobrevivir en ciertas condiciones. Esto generalmente ocurre a lo largo de muchas generaciones.

Alcalino que tiene un pH mayor de 7, con un potencial para quemar.

Algas formas más simples de la vida vegetal. Las algas no tienen verdaderos tallos, raíces ni hojas. La mayoría se encuentran en el agua.

Amamantar alimentar con leche producida por la madre.

Anfibio grupo de animales que generalmente pone huevos que eclosionan en el agua. Las crías pasan por una etapa de larva o renacuajo antes de convertirse en adultos con pulmones.

Cadáver el cuerpo muerto de un animal

Camuflaje colores, patrones o figuras en el cuerpo de un animal que lo ayudan a confundirse con el entorno natural y permanecer oculto.

Carapacho cubierta parecida al caparazón en el lomo de un animal

Carbonato de calcio sustancia sólida blanca que forma los caparazones o cubiertas exteriores de muchas criaturas marinas.

Colonia grupo de animales o plantas de la misma clase que viven juntos.

Crisálida estuche protector en que vive una oruga mientras se convierte en mariposa o polilla.

Crustáceo tipo de animal, por lo regular acuático, cuyo cuerpo está cubierto por una capa dura exterior o caparazón, como las langostas.

Depredador animal que sobrevive cazando, matando o comiendo a otros animales

Descendencia crías de un animal.

Ecolocación emitir un sonido y percibir el eco que rebota para detectar la ubicación de un objeto.

Ecosistema comunidad de plantas y animales, junto con el lugar particular donde viven.

Especie grupo de animales con ciertas características en común. Los miembros de una especie pueden aparearse entre sí y tener crías.

Especie clave especie con una influencia importante en su ecosistema.

Excavar hacer un hoyo, túnel o cavidad quitando material.

Glándula parte del cuerpo que produce una sustancia química para un uso particular.

Heces desecho sólido de un animal.

Hibernar permanecer inactivo durante los meses fríos del invierno.

Hormonas químicos producidos por el cuerpo que actúan como mensajeros.

Humedal área de tierra que está regularmente saturada por agua, como un pantano o marisma.

Incubar proteger y mantener los huevos a la temperatura correcta sentándose en ellos o colocándolos en nidos. Esto permite a las crías desarrollarse y eclosionar.

Invertebrados animales sin espina dorsal, como medusas, gusanos, arañas e insectos (cuyos esqueletos son exteriores).

Larva etapa juvenil de un insecto. La larva pasa por una metamorfosis completa, o un cambio total, para llegar a la forma adulta. Las orugas son larvas.

Liquen planta simple formada por algas y hongos que crecen juntos.

Mamíferos grupo de animales que tienen pelo, son de sangre caliente y alimentan a sus crías con leche.

Mangle árbol que crece en pantanos lodosos costeros.

Marino describe cualquier cosa que proviene o tiene que ver con el océano.

Marsupial tipo de mamífero con una cría que nace sin desarrollarse completamente y que es cargada y amamantada en una bolsa, o marsupio, en el vientre de su madre.

Microscópico tan pequeño que sólo puede ser visto con un microscopio.

Migrar moverse por temporadas de un lugar a otro con un clima más adecuado para la reproducción o la alimentación.

Néctar líquido dulce producido en las flores de muchas plantas para atraer insectos y aves, que luego transportan polen a otras plantas.

Nocturno activo durante la noche.

Plastrón cubierta parecida al caparazón en la parte delantera de un animal.

Plumón plumas suaves y esponjadas de las aves.

Primate mamífero que pertenece al orden de los primates, como los humanos, monos, chimpancés y gorilas.

Pupa etapa en el ciclo de vida de un insecto entre la larva y el adulto. No se alimenta y casi no se mueve.

Quitina sustancia dura de los esqueletos externos de arañas, insectos, crustáceos y otros invertebrados.

Roedor mamífero que pertenece al orden *Rodentia*, como los ratones, las ardillas y los castores.

Saliva fluido producido por glándulas de la boca.

Sumergido que está debajo de la superficie del agua.

Territorio área que un animal o un grupo de animales de la misma especie usa para alimentarse y reproducirse.

Vegetación vida de las plantas.

Vertebrados animales con columna vertebral, como los humanos, los perros y las ballenas.

Índice

Créditos

Clave aci=arriba centro izquierda, ai=arriba izquierda, ac=arriba centro, acd=arriba centro derecha, ad=arriba derecha, ci=centro izquierda, c=centro, cd=centro derecha, abci=abajo centro izquierda, abi=abajo izquierda, abc=abajo centro, abcd=abajo centro derecha, abd=abajo derecha, f=fondo

CBT = Corbis; GI = Getti Images; iStockphoto.com; MP = Minden

Picture; NGS = National Geographic Society; NHPA = NHPA/ Photoshop; NPL = Nature Photo Library; SH = Shutterstock; TPL =photolibrary.com.

FOTOGRAFÍAS
Primera de forros, c, 2bi, 8abd, ad, 28-29f, 29abd, 36abd, 48-49cd CBT; 13ai, 48ad GI; primera de forros abd, 1abd, ai, 2-3c, 3c, ad, 4ai, 6-7c, 8-9abc, 9abd, 10-11cd, 14ai, 14-15f, 16abc, 9abd, 10-11cd, 14ai, 14-15f, 16abc, 17abd, ai, ad, 18-19f, 19ai, ad, 20aba, 20-21abc, 21abd, 26-27c, 32-33cd, 34ci, ad, 37abc, f, abd, 38abi, 38-39c, 40-41ac, 42ci, 45abd, ad,

50ad, 51abd, cd, 53ai, dai, 57ac, ai, 59abd, 63abd, ad, iS; 56-57f MP; 60-61ac, NGS; cuarta de forros ai, 3bd, 5ad, 17cd, 19abc, 22-23c, 24bi, cd, 25ac, 29-29c, 29ai, 30abi, abd, 31ac, ad, 41ad, 43cd, 44abi, 48ad, 50ci, cd, 54abi, 56abi, ad, 56-57abc, 58abi, abd, 58-59ac, 62ai NHPA; 12abi, 18cd, 31abci, 34abd, 38c, 44ci, 44-45f, 50abc, 52-53cd, 53ad, 55ac, 61abd, NPL; 5abd, 12-13f, 16-17c, 28ad, 30ad, 31aci, 42abd, 42-43ac, 46-47c, 54-55cd, 63ai, SH; 8-9ad, 12cd, 17ac, 20cd, 26ad, 27abd, 34bi, 35abd, 41ac, 45abi, 52abi, 60abi, 60-61cd TPL.

ILUSTRACIONES
59cd Brin Edwards/ The Art Agency; 10ai Christer Eriksson; 28abi Dan Cole/The Art Agency; 54ad, David Kirshner; 14cd, 15ac Frank Knight; 4-5ab Gary Hanna/ The Art Agency; 26ai Guy Troughton; 50-51c Jane Durston/ The Art Agency; 15abd, 38-39cd James McKinnon, 49ai Jurgen Ziewe/ The Art Agency; 10ad, 10-11bc, 11ci MBA Studios; 18abd Magic Group; 21cd Mick Posen/ The Art Agency; 4abd, 12abd, 18abi, 19abd, 39ad, 62 ad, Peter Bull Art Studio; 29abi Rob Mancini;

primera de forros abd, 3c, 40ai, 40-41abc Susanna Addario; 26abc Sandra Doyle/The Art Agency; 25-25cd, Simone End; 31abd, 36ai, ad, 53ai Steve Hobbs; 34-35f, 51abd Stuart Jackson-Carter/ The Art Agency; cuarta de forros abc, 4-5ac, 20-21ac, 21ad, Terry Pastor/ The Art Agency; 48abi Wildlife Art.

Todas las ilustraciones copyright de Weldon Owen PTY Ltd, excepto 18ad Magic Group.